• CONTENTS •

#69 WISH

……!!
우와아ㅡ!
멋지다!!
대만아!!
아…!
그래!!
!!

타
악

!!!
으라차!!

왔아아아
아
아
이럴 수가~!!
속공!!
볼을 뺏겼어!!
백코트!!
돌아가!!
나이스 슛!
우와
좋았어!!

잘한다, 채치수~!!
너 정말 굉장한데~!!
와!
와!
어쩌면 너도 엄청난 가능성을 숨기고 있는 것 아냐?!
와아아아아
굉장하다, 치수야!!
그런 플레이는 처음 봤어!!
대만이의 슛을 그대로 잡아버리다니!!
와
와
치수야!
채치수!!

기운내!!

녀석이 너무
큰 거야.
하는 수
없잖아!!

준호야…!!

안선생님…!!

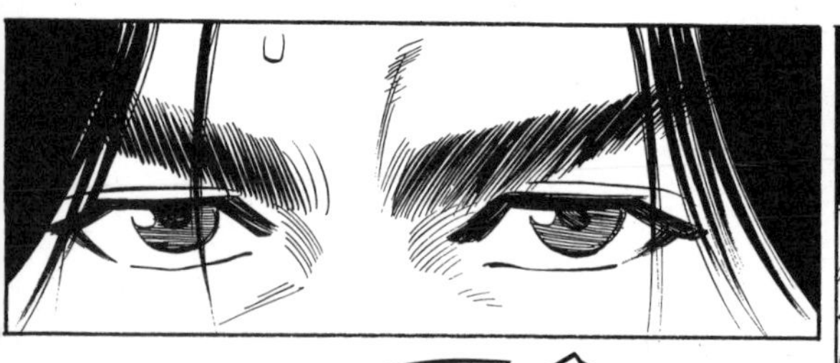

질 수 없다!!
채치수한테
절대
안 진다구!!

처억
키로 이길 수 없는 것은 스피드와 테크닉으로 커버하면 돼!!
휘익
팟
웃!!
앙
숏이다!
!!
찌익

10
!!

아…?!

어떠냐!!

끼이이
!!
……
!?
쿵
대만아?!

!!
벌떡
대만아?!
정대만!!
아…
……
아윽….

病院
P
P
대만아…
JORDAN
KERS
HOOP
준호냐?
어때?
무릎은…?

월간 농구
가지고 왔어.
이번달 거야.
오…
땡큐!

아, 이 사진….
도대회
우승할 때의…?

그래….

전부터 묻고
싶었는데….
왜 북산고에
온 거야?
너라면
더 강한 팀에
갈 수 있었을
텐데….

……

북산의
안선생님이….
뭐?

그때
내빈석에
계셨어….
나도 그때
있었어.
종료 직전까지
너희팀이
지고 있었지?!
라스트
12초에 한점 진
상태.
거기다 상대편
볼….
이
수퍼스타
정대만이
있는 한
절대
이긴다!!
라고 말하긴
했지만
솔직히 이젠
틀렸구나 하고
생각했어.
武石中
4

이얍!
탁
악

아앗!!
잡아야 해!!
잡지 않으면….
파
앗

쿠당탕
내빈석
!!
젠장….
난 승리를
단념했었어….
바로 그때!
……………

마지막까지…
희망을 버려선 안돼.

단념하면 바로 그때 시합은 끝나는 거야.

홋홋홋!

스윽
얍
희망을
버려선
안돼….
武石中
4
그때…
안선생님
곁에서
농구를 하고
싶다고
생각했어.
단념하면
바로 그때
시합이
끝나는 거야.
무석중
안선생님이 계신
북산고로
가겠다고
결심한 거야.

철썩
해냈어 ~!!
와아아아아아
그 분이 안 계셨다면 이 사진은 없었어….
안선생님에게…
은혜를 갚고 싶었어…!
빨리 퇴원해서 꼭 재기할 거야, 난!!
두고봐, 준호야!!

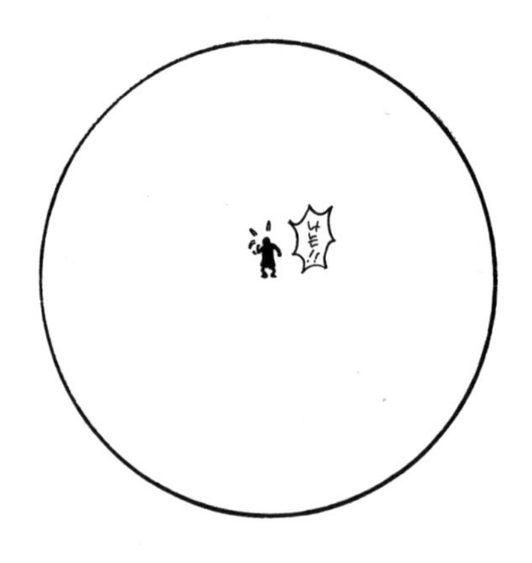

#70 아프지 않아

벌써 퇴원한 거야?!
웅성 웅성
술렁 술렁
대만아, 괜찮아? 아무리 그래도 너무 빠른 것 같은데….
이젠 걸어다녀도 돼? 무릎은 어때?
헤헷! 계속 병원에 누워 있으려니까 몸이 근지러워 못 견디겠어!!

아니!
대만군!!

안선생님!!
안녕하세요!
안녕하십니까!!
안녕하세요!

안녕하세요!!

퇴원한 건가?!
대만군.
호호호.. 다행이네.

대만아, 전국대회 예선에는 나올 수 있겠나?
이제 곧 시작인데!

꼭 나가겠습니다!!
오오~!!
이거 마음 든든한걸!!

채치수…
너하고의
승부도 아직
결판나지
않았으니까
…!!
이제 곧
부활해
주마!!
설마 네가 이겼다고 생각하는건 아니겠지…

흥…
하나—!!
둘!
하나!

306
정대만
…없어졌어!!

대만이란 애…!!
어저께도 도망치려고 했어요!!
못말리겠어. 이제 겨우 나아가는데….
어쩔 수 없지, 뭐….

으라차!!
좋아 – 바로 그거다. 치수야!!
탕
지금처럼 피봇 플레이를 확실히 하면 트래블링 파울도 당하지 않아!!
넷!
탕

자, 한번 더!!
괜찮으세요?
응? 아아…. 너 참 장사구나.
채치수! 피하지 마라!!
너라면 어느 누구에게도 밀리지 않아!!
그래, 그래!! 그 정도로 강하게 나가야 해!!
흠….
피하긴 누가 피해!!
나이스 슛!!
우왓!

……
자, 시합이 얼마 안 남았다!!
찌익
게으름피면 안돼!!
네엣!!

젠장….
절대 안 질 거야….

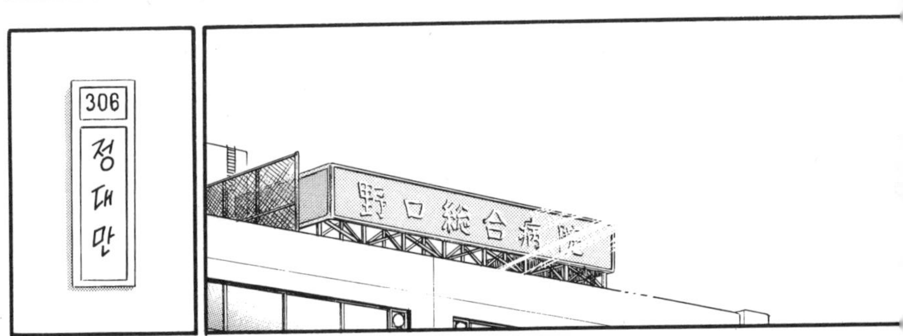
306
정대만

철컥!
정대만――!
어머!
오늘은
얌전히 누워 있네.
기특한걸♡
얌전히만
있으면
정말 착한
아이인데….
얼굴도
귀엽구♡
이 누나가
귀여워해
줄까나…♡
너무 귀여워~!
대만군…!

짜잔!
!!

이
망할
녀석
….

탕
탕
탕

탕
헉.
탕
헉.
탕
헉.
헉.
하아
하아
하아

아프지 않아!!
아프지 않아!!
됐어!!
……!!
……
탕
탕
!!

좋았어—!!
오오! 대만아, 완전부활도 멀지 않았구나!!
이젠 안 아프니?
문제없어요! 예선이 일주일밖에 안 남았는데 언제까지 아플 순 없잖아요!!
유와아아아
무리하지 마, 대만아….
만일 아프거든 쉬는 게 좋아.
찌릿
찌릿
아프지 않다니까!
쉬는 편이 더 괴롭다는 거….
너도 입원해보면 알게 될 거야, 준호야.

사흘만 농구를 안하면 몸이 근지러워 죽겠다니깐!

대만아….
자－!
디펜스!!
준호야
!!
!!
약하다,
채치수
!!
휘익

!!

…대…
대만아?!

……

정대만 — —!!
……………
다리는 이제 괜찮나?
………
………

와아아아아

크다-!!
저 10번!!
저 키에
아직
1 학년이래!
와
와
두근
두근
가자-!!

콰앙
우왓!!
꽝
우옷!!
와아
좋아,
채치수!!
와아아아아
잘한다-!!
나이스
슛,
채치수!
잘했어!!
와아

네!!

와
와
와

내가 대만이에
대해서
알고 있는 건
여기까지야….

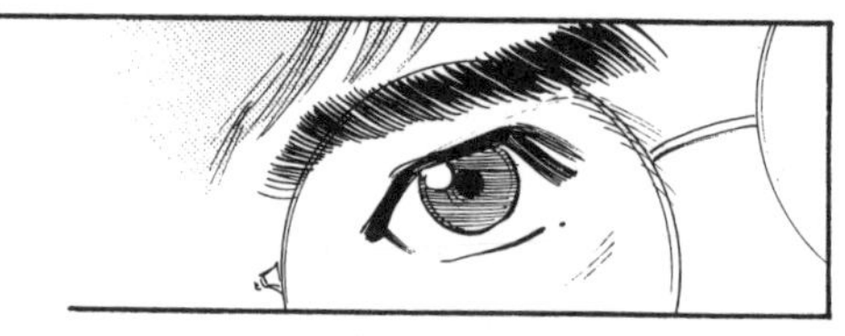

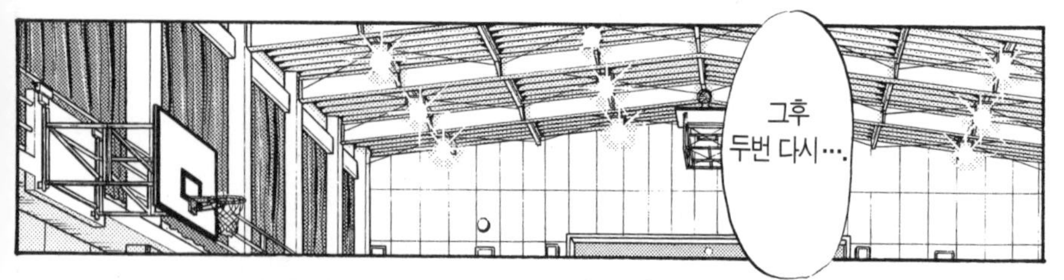

……

저벅…

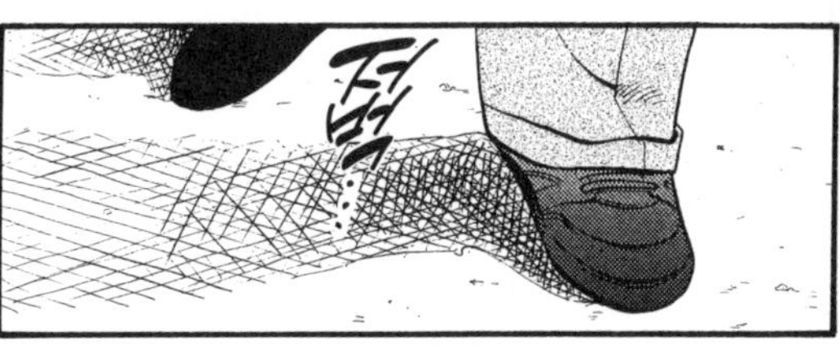
저벅…

척…

응…?

나는!!
와

그후 두번 다시
대만이는 돌아오지
않았어….

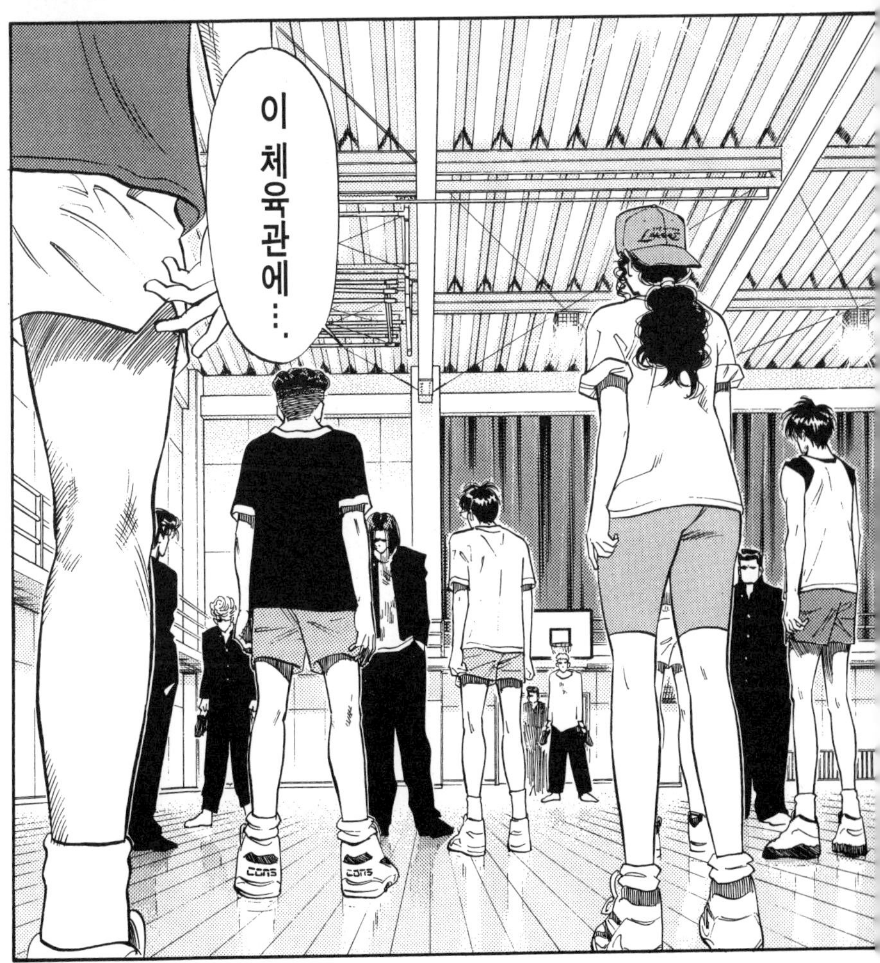
이 체육관에….

#71 BASKET BALL

권준호….
주절주절 말이 많구나…!!

하지만 사실이잖아?!
대만아!

…그런 일이 있었구나…. 대만형이 농구부였다니….
전혀 몰랐어….

부상만 아니었으면 지금쯤 에이스가 됐을지도….
천만에!
여기 에이스 강백호가 있는 한!

정대만 선배….

태섭이를 그렇게나
물고 늘어진 것도
그냥 건방지기
때문이 아니라
태섭이가 농구부
기대주였기 때문에…,
자신이 잃은 것을
가지고 있기 때문에…!

대만
선배….

…………

대….

대만아….

대만아,
사실은…
농구가 하고
싶은 거지…?

우욱!!
퍼
억
쓸데없는 애기나 주절주절 지껄이고!!
그… 그만해, 대만아!!
퍽
앗!
시끄럿!!
준호형!!

야!
이 계집애 같은
놈아!
아직도 정신
못 차리냐!!
욱…?!
고릴…?!
네가 나서면
시끄러워져
뭐… 뭐야!
내가 주인공
인데….
얌전히
있어.
제장…
이거
놔….
안경
선배를
구해야
해!
대만아….
다… 다리는
이제 나았지?
그렇다면…
그렇다면
다시 한번
함께
하자…!!

퍽
악
!!

안경
선배!!

헉
헉
헉
……

너 바보냐?!
뭘 함께
하자는
거야!!

농구 같은 건
이제 나한테는
지난 추억일
뿐이야!!
여기에 온 건
송태섭과 강백호를
없애버리기 위해
온 거고!!
언제까지
옛날 얘기만
늘어놓을
셈이냐!!
농구
같은 건
그냥 클럽
활동일
뿐이잖아!!
시시해서
그만뒀을
뿐이야!!
그게
잘못이냐!!

콰악
!!
헉
헉
전국제패가
어쨌다구…?
말해봐!

뭐가
전국제일
이냐?!
뭐가
북산을
강하게
만든다는
거야!!

목표는
북산고
전국제패!
전국제일
입니다!!

우리가
북산을 강하게
만들자!
전국제패를
하는 거야!!

넌 비겁한
놈이야.
정대만….
그저 비겁자일
뿐이라구…!
그런 주제에
뭐가
전국제패냐….

꿈 같은
소리는
지껄이지
마!!

권준호…!!

…………

지난 일이야!!
이젠 상관없어!

대만 선배.

송태섭.

누구보다도
과거에
얽매이는 건,
바로 당신
일텐데….

…………

......
......!!
나다...
열어다오.

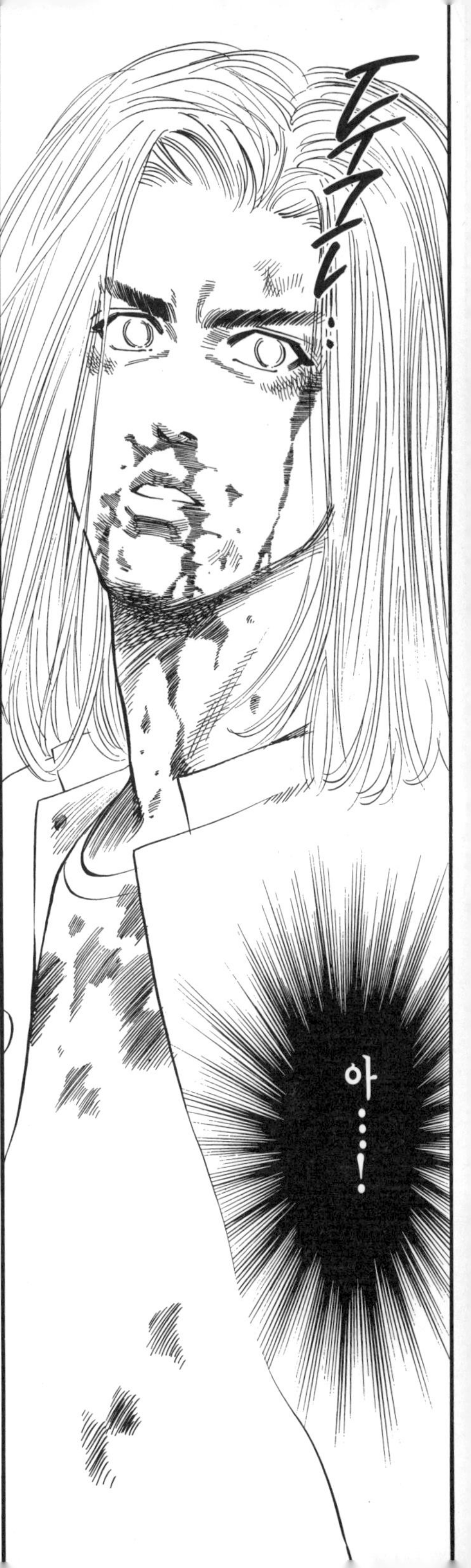
두근…
아…!

아니!

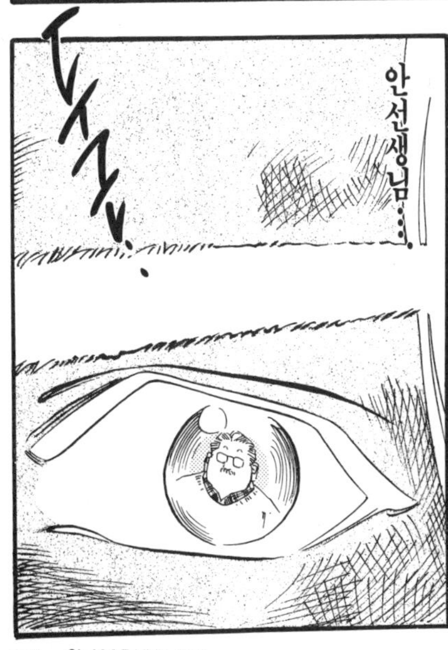
두근…
안선생님….

두근…
마지막까지,
두근
희망을 버려선 안돼….
해냈어-!!

神奈川県立 湘北高等学校
단념하면
바로 그때
시합은
끝나는 거야.
안선생님···

안선생님…!!

…………

농구가
하고
싶어요….

SLAM
슬램덩크 완전판 프리미엄
DUNK

#72 START
SHOHOKU

안녕!
채소연입니다.
일요일 오전은 정말 좋아! 특히 이렇게 따뜻한 날은…!!
북산 농구부는 일요일도 연습입니다…. 하지만 연습할 수 있다는 그 자체만으로 얼마나 감사한지….
만일 그 사건으로 농구부가 해체라도 됐더라면….

야…
너희들!!
이게 도대체
무슨 일이야!
이래가지고
무사할 줄 알아!!

…………!!

큰일이다…
어떻게
해서든
얼버무리지
않으면…
만일
그렇게
못하면
….

대만이가
우리를 배신하고
농구를
하겠다기에….
화가 나서
그만….

……
끄~~응
……

생각이
안 나!

싸움을
걸었어요.
대만이도,
농구부도 모두
박살내려고….
죄송합니다….

뭐라구?

호열아?!
그렇죠,
영걸 선배?!
…!!

죄송해요.
척
척
척
그렇게
된 거예요.
저희들이….
!!

안 그래요,
영걸
대장님?
두목님!
대통령
각하!
!!

마…
맞아요…!
우리가
그랬어요.

영걸아…

…………

소-연-아!!

어머….

근신군단 등장!
싱글
벙글
싱글
헤헤….
뭐하니?
애들아….
킥……
호열이 일행은 3일간의 근신처분을 받았답니다.

친구인
강백호와
그리고
대만 선배를
위해서….
퍼스트키친

잘 가라,
소연아.
우린 더 놀아야 돼.
응, 안녕.
바이바이!

……

오늘은 이길것 같은 예감이……
넌 항상 말은 그렇게 하잖아!
하하하,

도대회까지
앞으로
1주일.
큭…

모두
힘내야 해…!!

가-자!
하나!
수비해,
한골 막을
때까지!!
파이팅!!

둘!
하나!
둘!
송태섭!!
발이 움직이질 않잖아! 발이!!
벌써 지친 거냐!
윽!!
자, 간다!!

아뿔싸!!
!!

나이스 커트!!
척
좋아, 디펜스다!! 치수한테는 당할 수 없어!!
윽!
음….
짝
짝
네엣!!
한나…♡
저녀석이…

콰앙
어림없다!!
우왁!!

!

이런 …!
하나 막아낼 때까지 계속 수비야!

굉장해…
고릴라 덩크…!!!
HOOP

간다.

이런… 또
성가신 녀석이
나왔군!!
대만이가
머리를 잘랐다.
고집도 자존심도
버리고
농구부에
돌아온 거야
부원들과 완전히
융화되기까진
다소 시간이
걸리겠지만….
그리고
2년이라는
공백을
메우는 데도
힘이 들겠지만.
언젠가
우리 북산에
없어서는
안될 남자가
될 거라고 믿어.
난…!!
힘내라,
정대만
…!!
흥, 우리들은
용서한
기억이 없어
우리는 저놈한테
맞았으니까.
응? 안그래, 달재?
아… 아니.
난 뭐 별로
….
HOOP

아니…!!

디펜스가
약해.
권준호.

젠장…
이 녀석을
보통
인간이라고
생각한 게
잘못이었어!!
준호 선배

패—스!!
패스 패스 패스 패스!!

더 들어가!! 안으로 들어가란 말야. 강백호!!

강백호, 조금 전에 한 말 잊지 마라!!
볼을 받을 때의 발!!

알고있어요!!
공중에서 잡아서….

두 발로 착지!!
그러면 좌우 어느쪽으로도 움직일 수 있다!!

골밑은 내가 맡는다~!!
우앗!!

안녕하세요ー.
음료수 마시고 하세요!!

소연아!!

지금 그것 봤지? 이 천재 강백호의 파워풀하고 화려한 골밑 플레이!!
멍청아!! 안 들어갔어.

소연인 역시 눈치가 빨라.
땡큐~!
헤헤헤…. 시합도 다가오고….
고마워~
백호도 마셔!

모두 몸상태 어때…?
베스트 컨디션 강백호!! 라고 불러 줬으면 좋겠어!
하하하핫

띠요~옹
!!
베스트 컨디션
서태웅~♡
게으름
피지 마,
바보야.
서태웅…!!
전국대회
도예선이
임박했다!!

뭉클…
……

짹
짹
짹
5월 19일―
오전 6시.
째깍
째깍
째깍
째깍
째깍
……
잠이 안 와!
강백호는 한숨도 못 잤던 것이다.

SHOHOKU
5
SHOHOKU
11

#73 5월 19일

천재 강백호의 충격적인 데뷔 ㅡ!!
드디어 농구계에 충격파가 불어닥칠 날이 왔다…!!
탁 탁 탁
헉!
헉!
헉!
시합시간에 컨디션을 최상으로 올려놓기 위해 이른 아침부터 가볍게 땀을 흘리는 천재 강백호….
역시 천재는 달라!!
이런 생각까지! 하다니…
와아아아아
양 팀의 스타팅 멤버를 소개 하겠습니다!!
빨강 유니폼의 북산 고등학교!!
드디어 데뷔….

4번….
뒤뚱 뒤뚱
뒤뚱

고릴라-!
우-우-우
울호

오빠-
힘내-!
유우

그외
그밖의
3명….
타박타박타박…
깽
그리고
또 한
사람은….

파

꺄아-악
와-

천재
바스켓맨!!
북산고교
넘버 10!!
꺄아아악

가양―
번쩍
와아
야아
백―호―!!
꺄야야야
꺄야꺄야야

응?

아―앗! 뭐야, 저 계집애!!
백호님―!!
꺅

백호는 엄청난 대스타라서….
나, 불안해.
울적
와
와
와

백호야♡

5만명의 성원일지라도
소연이 너 하나만 못해!
반짝

백호야…♡
기뻐!
소연아…!
꺅꺅

그대의 성원은
10만명의 성원
보다도….
백호야….

소…
소연아!!
깜짝

안녕.
새벽
연습이니?
아니,
아니!!

드디어
도대회구나.
백호야….
그래?
난 말야,
올해는 북산이
선전할 거라고
생각해.

역시 이 천재
강백호를
기대하고
있구나…!!

짜—잔!
우선 태웅이의
가세가
크다고 봐!
북산에
있어서—
!!
수퍼루키!
천재!
아냐!!
서태웅도 다소
전력에 보탬이
될지
모르지만….
하하핫
그래 봤자
중학 수준
이니까!!
별거
아냐.
그러니
…?

난 북산에
도내 톱클래스의
선수가 3명 있다고
생각해.
도내
톱클래스?!

응….

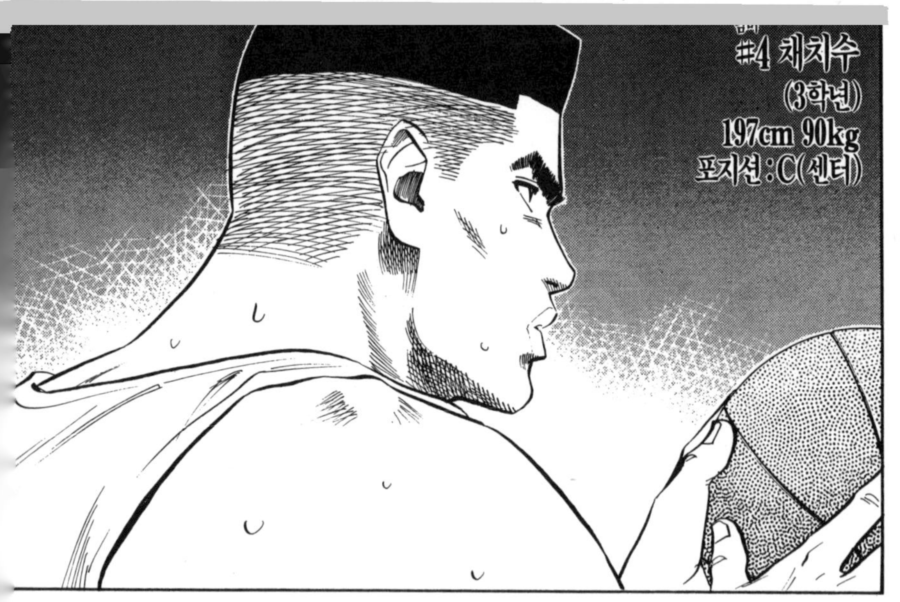
#4 채치수
(3학년)
197cm 90kg
포지션 : C(센터)

탕
탕
철
썩
후….
드디어….
넘버
#7 송태섭
(2학년)
168cm 59kg
포지션 : PG (포인트가드)
쏴아아아아아아

후우-!.

……

안녕,
한나♡
힘낼게♡

넘버
#11 서태웅
(1학년)
187cm 75kg
포지션 : F(포워드)

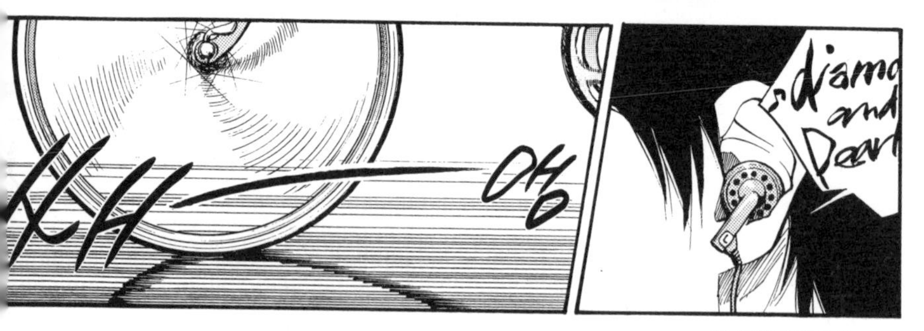
쌔———앵

슈우우우욱
We can't the Nigh~

끄덕 끄덕
앗!

콰당
!!

랄라라-.
~♪
찰랑
T·A·I·Z·O
LAWSON

아아!?
빠직 빠직 빠직 빠직
…

…이 세 사람은 도내에서도 손꼽히는 선수라고 생각해….
…………
크흥

!!
아! 그리고 또 한 사람!
드디어 생각 났구나!

휘청
정대만 선배.

넘버
#14 정대만
(3학년)
184cm 70kg
포지션 : GF
(가드포워드)

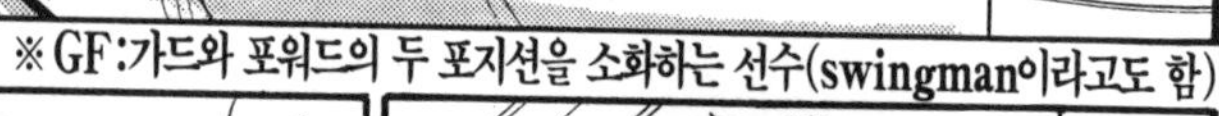
※ GF:가드와 포워드의 두 포지션을 소화하는 선수(swingman이라고도 함)

할 수밖에 없어…!!
생일 선물…

올핸 우리 학교도 정말 셀 거야!
게다가…
소연아…
백호도 있으니 말야.
!

백호는 내가 끌어 들였으니까…
내 눈은 틀림없거든…!!
헤헤…
…………
무… 문제없어, 소연아.

난 천재니까!!

그래, 힘내!!

소연아…♡

좋았어—!!
맡겨두라고!

와
와
와
市体育館
와
북산
전반
후반
삼표
와
와
와
척
억
그나저나….
싸울 준비는 되어 있겠지…?!

가자!!!

북산이다!!
와
크다!! 저 사람이 채치수야!!
와
능남한테 한점 차로 졌다며?!
와
저 빨강머리는 뭐야?!

SHOHOKU
11
SHOHOKU
7
SHOHOKU
10
네ㅡ!!!

지금쯤 시작
됐겠구나…!

와…!!
술렁
저것 봐!!

웅성
웅성
능남이다!! 능남고가 왔어!!
우와, 크다~!!
윤대협이 누구지?
B코너
바로 재야, 저 삐친 머리!!
깍- 윤대협!!
사진 찍어 둬야지!!
첫게임부터 삼포고라니…. 운이 없군요. 북산고도….
……
SENDOH

흥!
그까짓 능남고한테 한점 차로 졌다 해서 그게 어쨌다는 거야….
우리가 무찌를 목표는 오직 하나….
왕자 해남대부속!!
작년의 빚을 갚아줄테다.
이정환 …!!
북산 같은 건 안중에도 없다!!
가자!!

아앙?!
크르릉
크르르릉
뭐가 어째!!

지금부터
북산고교와
삼포고교의
시합을
시작하겠습니다!!
좋았어!!
Miuradai
가자!!

#74 문제아군단

10
asics
asics

우왓!!

시작이다!!
체크다!!
찰칵 찰칵 찰칵 찰칵 찰칵

야, 경태야!! 조용히 하지 못해!!
와
앗…! 죄송해요, 선배!!
와
북산고 볼이다!!
와
높이로 채치수를 상대할 수 있는 건 우리 덕규형 정도니까….
북산
전반
후반

자, 한골 넣자!!
탕
탕
엣!!

북산은 베스트 멤버가 아니잖아….
서태웅도 벤치에 있고…!

이봐요,
영감님.
또 나를
안 써먹을 생각은
아니겠죠?!
비밀병기
하면서!

……
응?!

너희들은
싸움을
했으니까
그 벌이다.
……!!

……!!
……!!
서…
선생님…

야!!
영감님이
정말
화났어!!
대만군,
네가 어떻게
해봐!!
원인은 바로
너잖아!!
이 못된 녀석!!
안선생님께
영감님이
뭐야?!
내가 존경하는
분을!!
호 넌
차피 벤치
셀텐데
관없잖아.
뭐어?
뭐라고,
송태섭!!

후우—…
바보가 셋이나….
윽!!
크윽…
서태웅!!

제일 먼저 주먹질한 건 너잖아!
이 성질 급한 녀석!!
발끈—!
잘난 척 하고 말아!!
발끈—!
너! 선배한테 바보라고?!
안보여!

시끄러!! 지금 싸우고 있을 때야? 너희들!!

윽!

와아—
아——앗!
북산
전반
후반
삼포
16
19
4

오옷!!
잘한다―! 나이스 슛 김용!!

와아아아아아
김용 파이팅!
김용!! 김용!!

5명 워밍
해두
올 멤버 체인지다!!
해남하고 붙을 때까지는 어물거릴 수 없다!!
단숨에 쳐부숴야 해!!
와
와
와
이봐 뭘하고 있냐 채치수!
북산 같은 건 능남하곤 상대가 될지 몰라도 우리 삼포하곤 안돼!!
우린 올해엔 왕
해남고를 물리치
전국대회
나갈 거다!
우린 능남 따위하곤 다르단 말이다!!

꿈틀
능남 따위?
임마,
채치수!
뭘
어물거리고
있는 거냐!!
그까짓
돼지에게
애먹는
거냐-!!
삼포고
따위에게!!
서태웅을
내보내
-!!
맞어,
맞어!
우리쪽이
훨씬
세단 말야!
채치수!!

시끄럽군,
정말….

삼포고
페이스에
말리고 있어….
연습 때의
실력을
반도 내질
못해….
첫시합이라
무리도
아니지만….
자,
침착하게
한골
넣자!!
파이팅
하고!!

수비 범위를 좁혀!
탁
안을 지키란 말야!! 골밑!!

네엣!!
!!

에잇!!
얍
SHOHOKU
!!
푸싱 파울!!
삼포
북 산 전
삼포 4번

음….

쳇!
잘했어
그게 파울이라구?

헷헷헷…
원맨팀은
상대하기가 쉽지

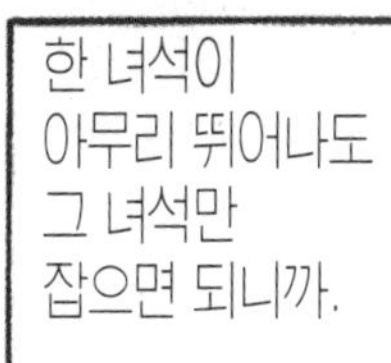
한 녀석이
아무리 뛰어나도
그 녀석만
잡으면 되니까.

설마
1회전 탈락은
아니겠지….
아닐거야….
꿀꺽
꿀꺽

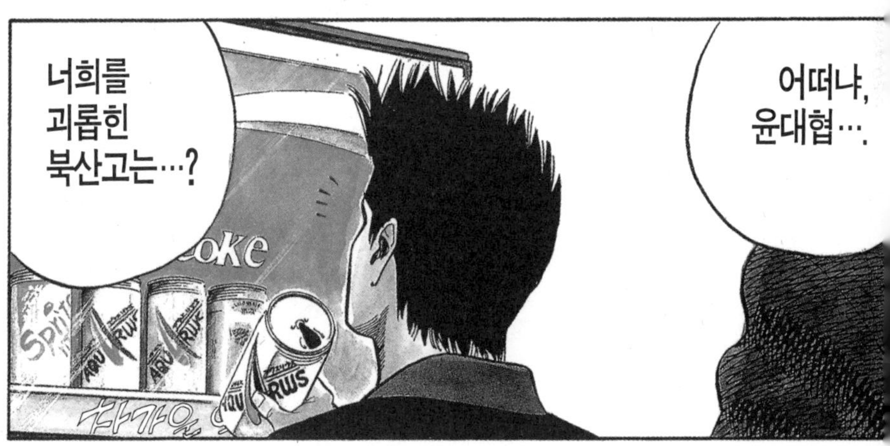
어떠냐,
윤대협….
너희를
괴롭힌
북산고는…?

정환이형…!!

촤르릉
나이스 슛, 채치수!!

와와
치수 녀석, 프리스로가 늘었어….

쎄아
자, 움직여! 하나만 막자!!
쎄아

헤이, 헤
꼬마
!!
탕
탕
덤벼
빼앗아봐

훗!

이게…

잘했어!!
나이스 슛!!

저, 저

……

!
너희들…
반성하고 있겠지?

이젠 싸움
안하겠지?
번쩍

선생님….
영감님….

핫하하하….
영감님!
안할게요.
난 평화주의자
거든요.
그만
두지
못해!

안하겠습니다.

아마도….

두번
다시는…!!

와ー
멤버
체인지
북산!!
!!
와ー
와ー

우왓!!

하하핫! 승리를 부르는 사나이 등장!!
너희들은 이제 끝이야!!

왓
왓!
가드인
송태섭이잖아!
요전번에는
안 나왔었는데
….
왓
백호형하고
서태웅이다
!!

저 14번
어디선가
….
UOZ

뭐야?
시건방져 보이는
놈들이
나왔잖아…!
Miuradai
4
Miuradai
7

휴-우
!!
이
문제아군단을
이끄는 것도
고생거리겠어
….
힘들겠어-

중요체크다
!!
AIDA
시끄럿!

훗 훗 훗 훗
뭐?...
너들은 이제 졌어!

아!

이정환형…!
당신은 해남의….

오랜만
이군,
윤대협!

#75 Who Are Those Guys?

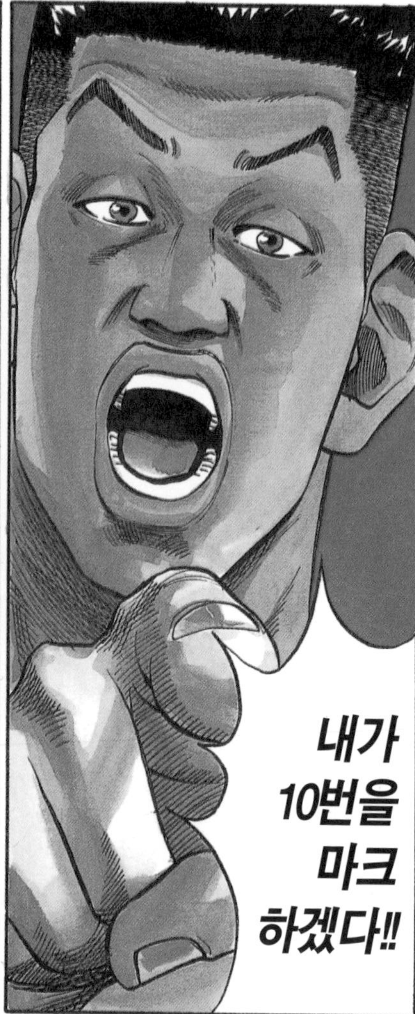
내가 10번을 마크 하겠다!!

호오~ 그러셔?

네까짓게 이 천재를…!

막을 수 있다면 한번 막아보시지!
뭣!

무슨 그런 터무니 없는 말을….
욱…!
탕
탕
어디서 그런 자신이 생기는 걸까?
정대만!
탁
탁
……
서태웅!!
탁
탁
탁

제길……
응…?

강백호
…

쿵
!!
왁!
시합에
집중 못해!
딴짓하지마!
욱

빙긋
발목이나
붙잡지마라.

으이구
…!!

중요체크다!!
북산은 지금부터가 진짜야!!

삼포고에 저 서태웅을 막을 녀석이 있을까…?

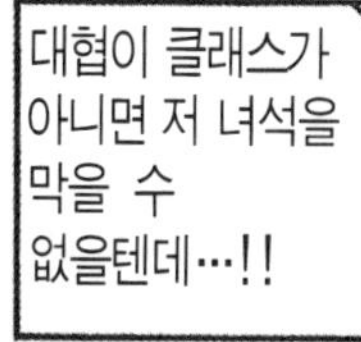
대협이 클래스가 아니면 저 녀석을 막을 수 없을텐데…!!

찡익
11번 오케이!!
찡익
…………

……
저 14번 어디서 본 것 같은데….

찡익
14번 마크!!
찡익
시끄러-!
죽고싶냐!

경태야 저 7번을 잘 봐둬!
7번….

아앗?!

으랏차!!

우와―앗!!!
우와아아
우와 아
뭐지…?
와아아아
……………
……………
북산의 반격이 시작된 건가….

빠르다!!
정말 빨라, 저 7번!!
……
!!

잘한다,
송태섭
!!

크윽…
이
꼬마가!

태섭아…!!

!!

아앗,
어딜 봐!!
바보~!!

잡았다!!

!!

한나…♡

!!
정대만!!
무석중학의 정대만이다!!
!!
좋았어—!!
우와아… 눈깜짝할 사이에 따라 붙었잖아!!
어떻게 저럴 수가!!
북산
삼포

경태야….
저 7번이
북산의 에이스
가드인….
송태섭이야.

꿀꺽….
송태섭…!!

채치수….
송태섭….
서태웅….
그리고
정대만…!!

북산은….
또 한층
수준을
높였군…!

그리고 천재 강백호!

으윽 ….

이 녀석, 아까부터 계속 들러 붙어서 뭐하자는 거야?!
징그럽게!
후후후….

심판 아저씨!
얘가 자꾸 밀어요!!
아까부터~!
응?
강백호!! 신경쓰지 말고 어서 공격해!!

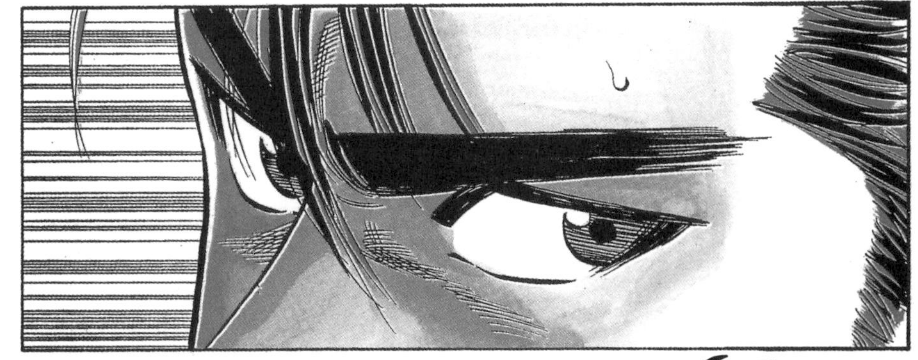

내가
말했지!!
골밑은 내가
제압한다고!

저
빨강머리가
언제 저런
기술을
…?!
아니,
턴
어라운드
…?!

이
녀석이
….

크윽?!

……
삐익
삼포고 4번!!
이 놈이ㅡ!!!
으쿵
그만둬!!

와—
프리스로!!
와—
북산고 10번!!

응?
프리스로……?
SHOHOKU
4
10

큰일났다…
좌———악
누가 가르쳐준 적 있나?

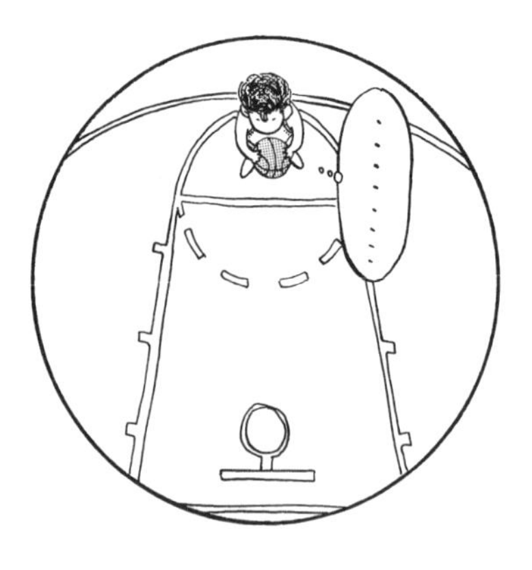

#76
FREETHROW

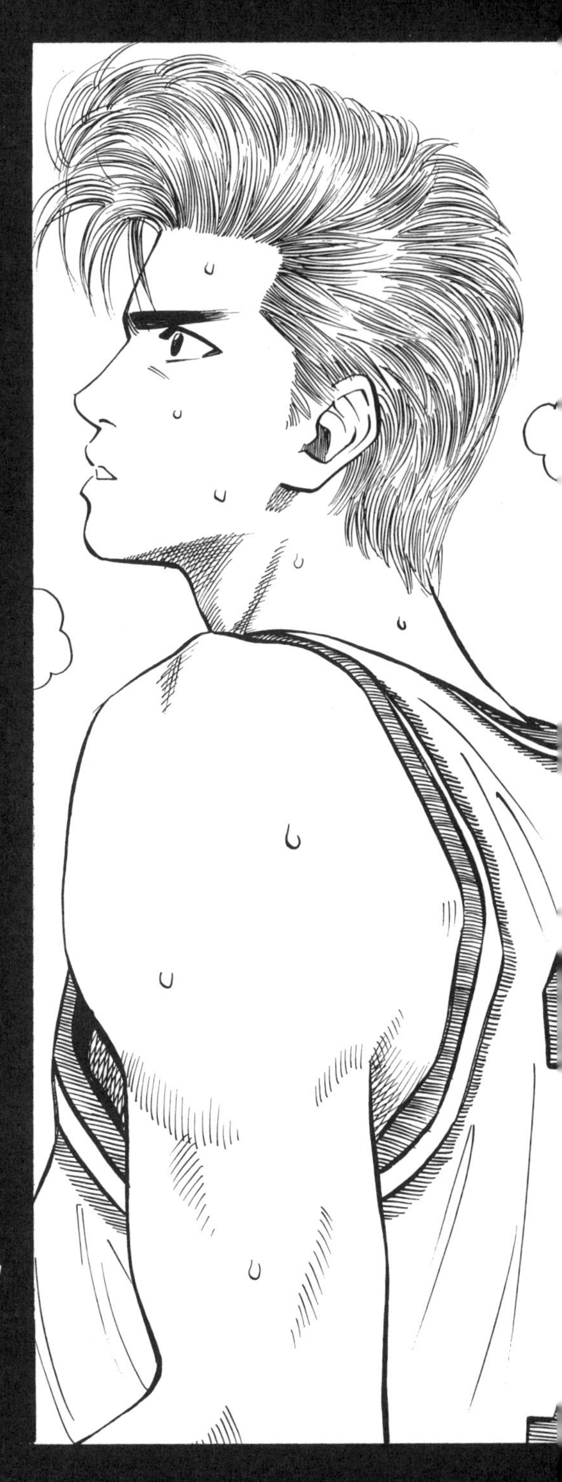

프리스로?

10번!
어차피 안 들어갈 테니까 리바운드나 하자!!
그래!!
!!
강백호, 들어가지 않아도 좋으니까 링에만 맞춰라!!
리바운드는 내가 잡겠다!!
꽈
악
뭐라구? 임마!!
쿠
웅
얼렁
그만 두지 못해!!
처음부터 들어가리라곤 생각도 않는다!!
윽….

!!
흥!! 프리스로 정도 내가 못 넣을 줄 알구!!
쿵
쿵
아무도 방해하지 않잖아? 간단하잖아!!

라인은 밟지 마라.
윽…! 알고 있다니까!!

투샷!!
투샷…? 두 개란 말인가?!

꿀꺽…
……

아차…!
이 라인을 밟지 말아야지.

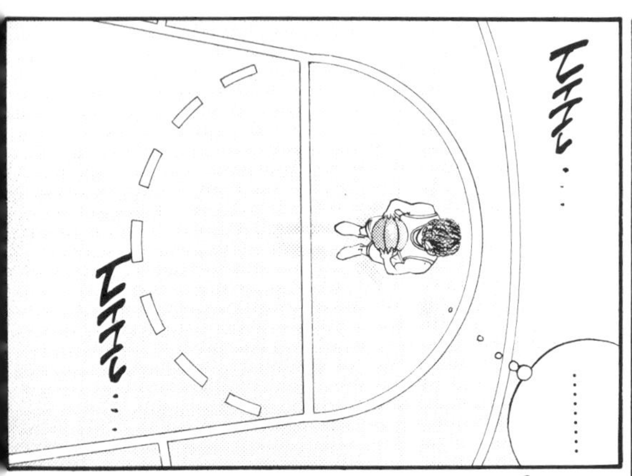
두근…
두근…
……

두근…
두근…
……

두근…
……

두근…
두근…

안돼…!!
쿵쾅
또 긴장돼오네….
안되는데….
쿵쾅
쿵쾅
백호야 링 앞쪽을 노리고 던져
오오!
!
링 앞쪽이라고…?
두근
두근
아냐! 링 뒤쪽이야. 뒤!
링 뒤쪽을 보면서 던지는 거야.
!?
앞이에요!
뒤야!
앞!!
뒤!!
두근
두근
앗…!
두근
침착해라, 천재야…!!

백호형-!
둘 다
들어가면
동점이에요
-!!
멋있게
부탁해요
-!!

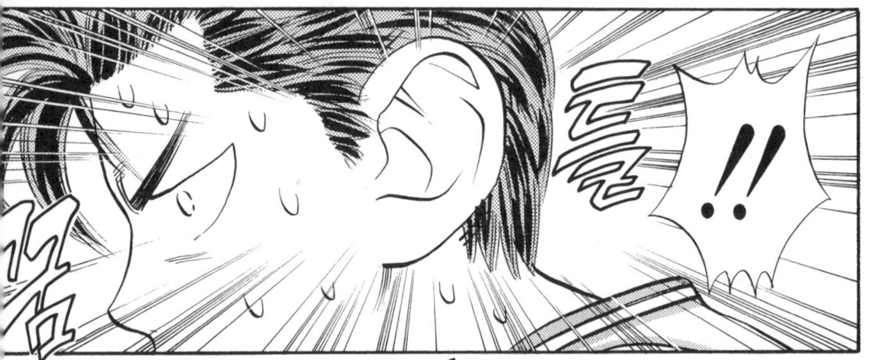
!!

두근
두근
둘 다
들어가면 동점→
둘 다 들어가지
않으면 동점이
안됨→
하나도 놓치면
안됨…!!
하나라도
…!!

뭐하는 거야?
빨리 던져!

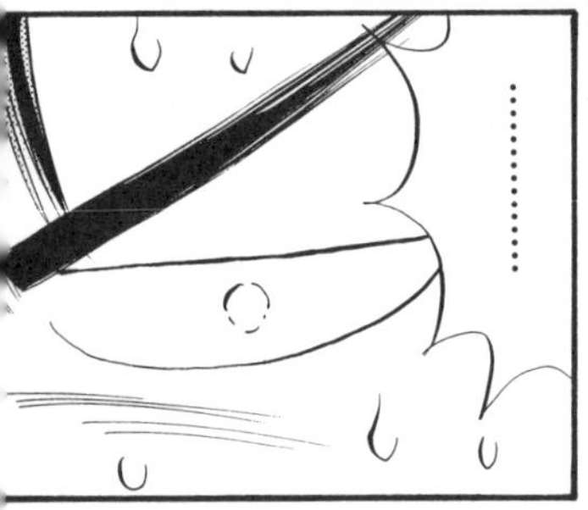
……

노골 노골 노골 노골 노골 노골 노골 노골
!!
헉
아아!! 마음의 소리가 들린다!!
저녀석들의!
헉
헉
뒤쪽이야.
아니, 앞쪽이야.
마음의 소리가!!
헉
헉
헉
어느쪽일래나?
키킥킥킥킥..
헉
실패할리 없어!
설마!
킥킥!
천재님이니까!
중요체크다!
들어 가는게 당연하지!
노골!
웅성 웅성 웅성 웅성 웅성
마음의 소리가!!!!

5초
바이얼레이션!!
!!
와

으아아앗!
KOSHINO
와
와아
눈뜨고
하나 손해
봤잖아!!
뭐하는
거냐,
강백호!!
멍청한
녀석!!
UOZUMI
와
하하하….
벌었다,
벌었어!!

(프리스로 바이얼레이션)

슈터는 심판으로부터 볼을 받은 후
5초 이내에 슛을 쏘지 않으면 안된다.

Dr.T의 도움이 되는 바스켓볼 입문

Dr. T의 바스켓볼 비화

나는 시합중에
연속으로 9개의
프리스로를
놓친 적이 있다.

그때는 마치
무언가에 홀린
듯한 기분이었다….

나도 옛날엔
질색이었어!!
!

맞아! 정말 웃겼었어….
진짜 엉망이었어.
시끄럿!! 잘라버릴까 보다!!

두번째다, 강백호!
뭐…!!

침착하게 던져!
링의 뒤쪽을 노려.
앞이야.
눈감고 던지면 돼.
야—! 한꺼번에 말하지 마!!

원샷!!
좋아. 이번엔 반드시…!!
어쨌든 들어가면 되는 거잖아…!!
두근 두근…
태웅아!! 리바운드 잡아야 해!!
예!

리바운드…!!
맞아. 그래!
번—쩍

백호야!! 침착하게 던져!!
리바운드!!
리바운드다!!
녀석은 엉터리야! 들어갈리 없어!!

훗…!!
역시 난 천재야!!
씨익

!!
뭐….
뭐하는 거야?!
집어 던졌어?!

아얏?!

아니?!

!!
서태웅!!
SHOHOKU
11

철퍽
…………
비…
비겁하게
새치기를
…!!
와
아
아
아
우와아아아아
몰라!
타닥
쿠웅

내가
알 게 뭐야
타박 타박

#77 ROOKIE SENSATION

탁
탁

이제 슬슬 전반이 끝날 시간….
우리가 이겼을까…?

백호도 요전번에 잘했으니까 분명 나왔을텐데….
……

태웅인 잘하고 있을까…?!

두 사람 다
이번이
데뷔전인데—
부상당하지
말고
힘내줘…!!
와아아아아아
와
와
와
와
봤냐? 지금 한 것!!
굉장했어!!
뭐야, 저 11번은?!
어느쪽 11번?
북산고 말야!!
삼 포
후반
전반
북 산
11:57
18
18

저 녀석, 아직 1학년이래!
와!
1학년?
거짓말 아냐?!
와!
와!
망할 서태웅 녀석!! 내 볼을 가로채 갖고!
몰라!!

굉장한 플레이야, 서태웅 녀석!
정말 1학년 맞어?!
믿을 수가 없어…!
그나저나 강백호는 여전히 엉망이군.
정말 무슨 생각을 하고 사는지….
강백호….

분명히 엉망이고 거칠긴 하지만, 녀석의 움직임…
점점 농구다워지고 있어. 겨우 한달 남짓한 사이에….

아직 동점이야!! 힘내자, 김용!!
알았어!!
작년 해남대부속고에 지고난 후 1년 동안…
타도 해남을 외치며 연습해 왔다…!!
북산 따위에게 질까보냐!

우왓!!

우와아
우와─! 저렇게 높이!!
헉
!!
크윽!
파앗
씨익
……!!
좋았어!!

!!

좋아!
가자ー!!
속공!!

더이상
태웅이놈한테
질 순 없어!!
지금이야말로
천재
강백호의
천재적인
활약을
보여주마!
패-스!!

!!
아니?!

아——앗!!

우와아앗! 연속 두 개나!
소문 이상인걸 …!!
저… 저 녀석이….
신라중 출신의….
11번!!
서태웅 …!!

화려한
녀석이군…!!

어디… 어디
갔다 왔어요,
대협이형?!
정말
굉장했어요,
서태웅의
플레이!!
보고 있었어….
잠깐 해남의
정환이형을
만나서 말야.

정환이형?!
그
이정환
말인
가요?!

해남의 이정환이면
최고의 요체크
인물이잖아요!!
왜 빨리 애기해
주지 않았어요?
대협이형~!!
아직
어딘가에
있을걸….
시끄럿
—!
경태야!!

삐-익
작전타임!
삼포고!!
와
와
와
와
역전이다!!
좋아 좋아 좋아! 잘했다, 잘했어!!
풀럭
나이스 서태웅!!
잘했어요, 선배!!

서태웅….
마치 작년의 윤대협을 보는 것 같아….
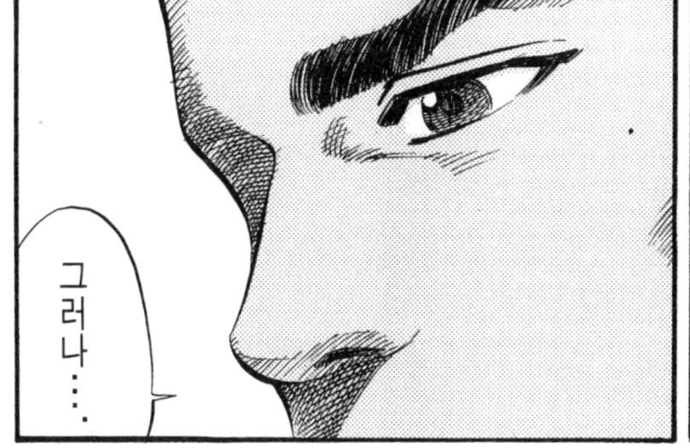
그러나….

아직 어려….
EXIT
와
와
와

제길! 왜 나한테 패스하지 않은 거야!!
엉?
태웅이놈 편을 드는 거야?!
무슨 소리 하는 거야?!
편든 거지?! 그지-?! 그지-?!
바보야!! 디펜스가 너한테로의 패스를 읽고 있었는데 어떻게 줘?!
편든거지
편든거지
편든거지
나의 순간적 나이스 판단을 깎아내리는 거야, 뭐야!!

싸움인가요?
설마요!
발군의 팀워크죠!!

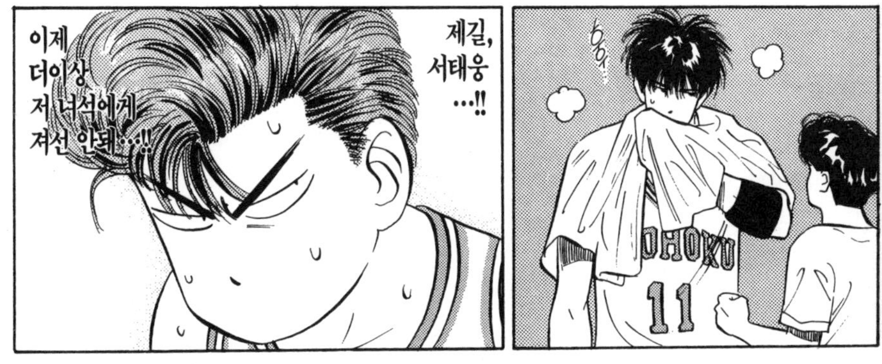
제길, 서태웅…!!
이제 더이상 저 녀석에게 져선 안돼…!!

11번을
좀더
철저히
막아!!
아직도
수비가
느슨해!!
네엣!!

좀더 세게
밀어붙여!!
약간의
파울을
각오하고
말야!!
겨우
1회전에서
주춤거리고
있을 순
없잖아!!
알았어?!
빠
악

간다!!
예!!
Miuradai
Miuradai

알겠지,
잘 들어라!

우리들은
강해!
전국대회에
나갈 때까지
단숨에
돌파하는
거다!!
좋아ㅡ!
이렇게 된 이상
천재 강백호가
천재인 것을
증명해
보이겠어.
금지된
슬램덩크를
써서!!

짜릿!
알게 뭐야

#78 천재의 증명

슉—
스윽—
WORLD Coffee

왜 북산 대
삼포 따위의
시합을 보러
가지 않으면
안되는
거예요?
준섭 선배.
휘이잉
어느쪽이든
잘해봐야
베스트 8
정도잖아요?
우리 해남의
적수는
아니라고
생각하는데….

삼포보다야 북산쪽이 조금 위일테지….
주장 채치수에게 가드 송태섭…. 그리고 서태웅이 가세한 북산은 확실히 경계할 필요가 있어.

흥…! 신라중의 서태웅 말인가요….
마음에 안 들어!
인기가 많으니까…!
끽
빙글
!?

넘버원 수퍼루키는 이 해남대부속고 1학년 전호장 이라구!!
서태웅이 아니고!!

끼이이익
앞으로 나오지 마~!!
쾅
으악!
왁
왁
어느쪽이 이기고 있을까?
왁
어느쪽이든 시시한 시합을 하고 있을 게 뻔해요.
아파라!
왁
市体育館

웃——샤!!!
치수형, 나이스 슛!!

헉!
헉!
북
후반
전반
삼포

와아아
아

와ー
와ー
……

눈깜짝할 사이에 점수 차가 벌어졌어….

채치수, 서태웅, 정대만!! 이 세 명이 점수를 따내고 있어.
리바운드도 강하고…!

아니…. 가드 송태섭의 존재가 더 커요.
녀석이 삼포고의 디펜스를 교란시키면서 재치있게 패스를 하고 있어요.

와보길
잘했어….
올해의
북산은
역시
강하다!!
체크다!!
와-
와-
와-

…………

척
척
윽…!

방해만
하고
말아!!
젠장
──!
너 때문에
나만 아직도
무득점
이잖아!!

우악!!
비겁한
짓만 하는
주제에
뭐가
어째?!
시끄러!
수비가 방해하는 건
당연한 거 아냐?!
바보야!!

삐
오펜스 차징!!
왜 나만 갖고 그래!! 저 녀석이 먼저…!!
백호야!!
10번!! 손 올려!!
말이 지나치면 다음엔 테크니컬 파울이니까!!
빌어먹을…! 천재의 증명을 해야 하는데….
침착해, 백호야! 저 녀석은 심판 몰래 반칙하는 게 특기야!
아니?! 100대 47?!
이런! 시간이 없다!!
공격하는 수밖에 없어!!

천재란 사실을 증명해 주겠다!!
두고봐라, 서태웅!!

괴상한 녀석이 있네….

파앗
슛해! 3점슛이다!

슈욱

서태웅!!
!!

여기야!!
백호야!!
자칭 천재 바스켓맨
강백호!!
역사적인 공식전
데뷔.

승패에는 이미 관계가
없었지만,
후반 남은 시간 4분.
어림없다!!

혼신의
힘을 넣은
슬램덩크가
….
가냐
앗

ムク
!!

SHO
10
4

작렬했다!!
또 해버렸어!!
구웅
저질렀다!!
와아아아아
삐이—익
우와아아아아?!
김용!!
김용!!
고의적이다!!
우우우——
!?
아냐!!
진정해!!
고의적이야!!
고의가 아냐!
김용!!
꿈틀
꿈틀

퇴장!!
떠엉
예엣?!
거짓말이죠?!
※디스퀄리파잉 파울?
일부러 그런건 아닌데?!
으아아아
아니, 5반칙.
※ 매우 악질적인 파울. 즉시 실격, 퇴장당한다.
으하하하핫!
웃기는 녀석이야!!
초특급 바보!

북산고교는 114대 51로 삼포고교에 압승. 2회전에 진출한다.
와아아아아아삐이
와
와
와
강백호, 데뷔전 득점0.
후반 16분 5반칙 퇴장.
그러나 이 시합으로
그의 이름은 단번에
알려지게 되었다.
일부러 한게 아닌데....
빌어먹을....

추—욱

스윽−
북산
삼포

슥−
북산
삼포

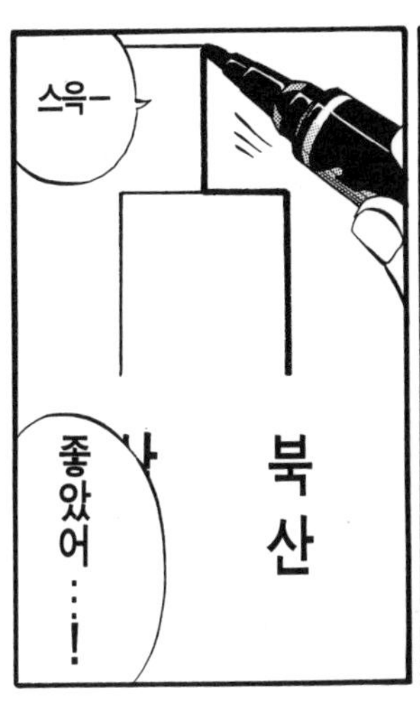
스윽−
북산
좋았어…!

우선 1회전 돌파다…!

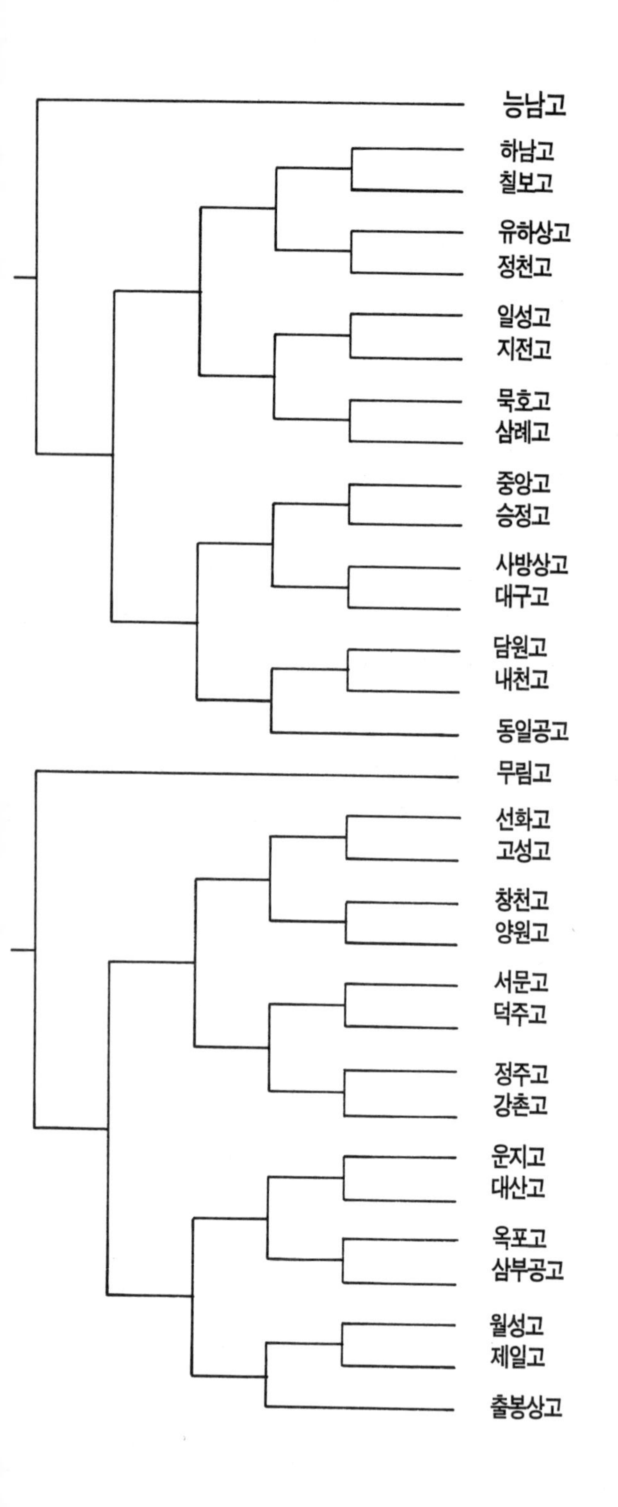
능남고
하남고
칠보고
유하상고
정천고
일성고
지전고
묵호고
삼례고
중앙고
승정고
사방상고
대구고
담원고
내천고
동일공고
무림고
선화고
고성고
창천고
양원고
서문고
덕주고
정주고
강촌고
운지고
대산고
옥포고
삼부공고
월성고
제일고
출봉상고

#79 천재의 우울

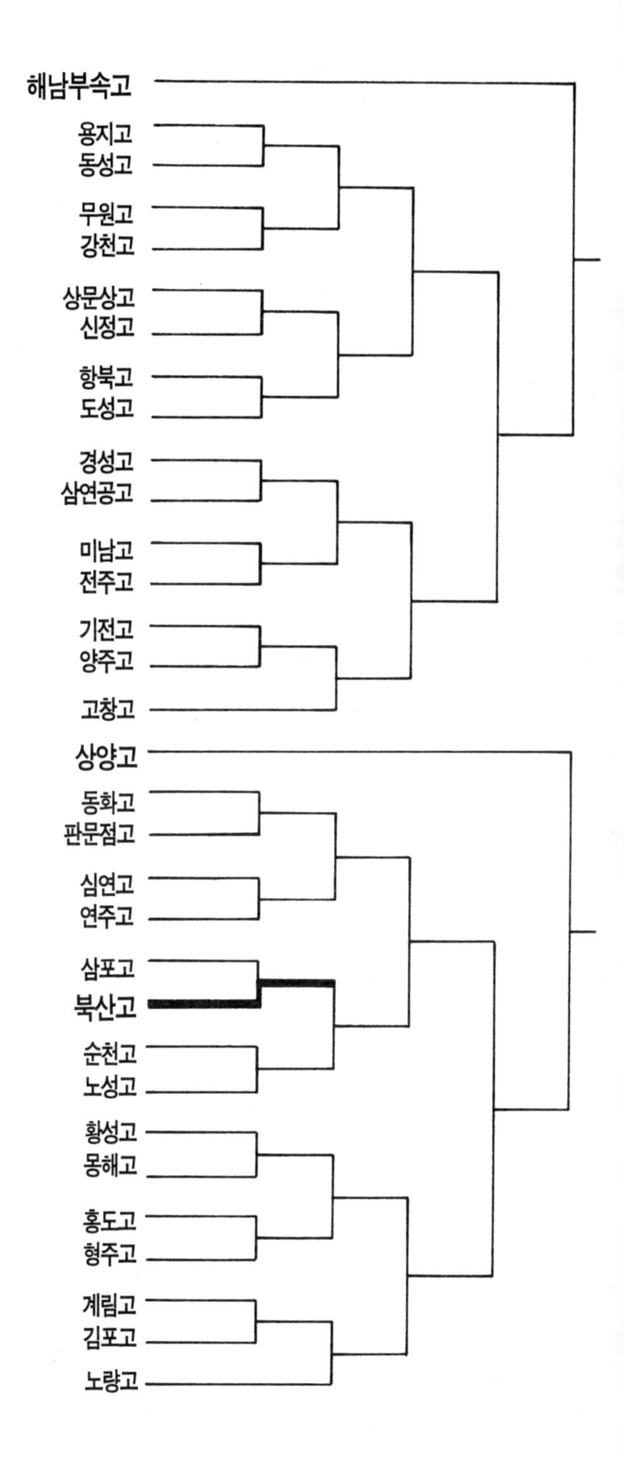
해남부속고
용지고
동성고
무원고
강천고
상문상고
신정고
항북고
도성고
경성고
삼연공고
미남고
전주고
기전고
양주고
고창고
상양고
동화고
판문점고
심연고
연주고
삼포고
북산고
순천고
노성고
황성고
몽해고
홍도고
형주고
계림고
김포고
노량고

하 하 하 하
야아,
강백호!!
어제는
충격적인
퇴장 데뷔전
이었다며?

…………!!

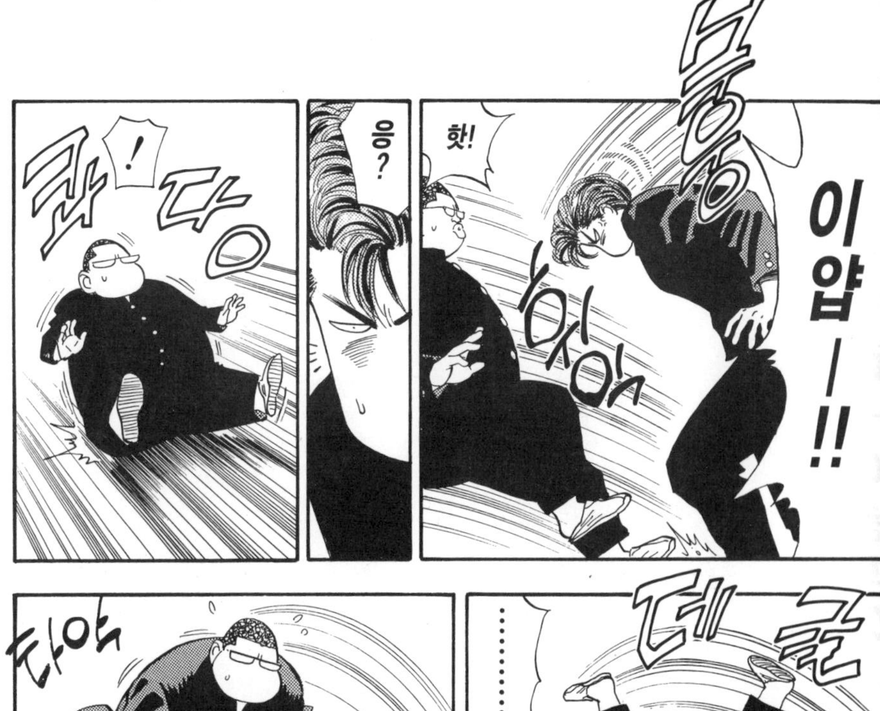

이얍—!!
핫!
응?
콰당
!

데굴
……
타악

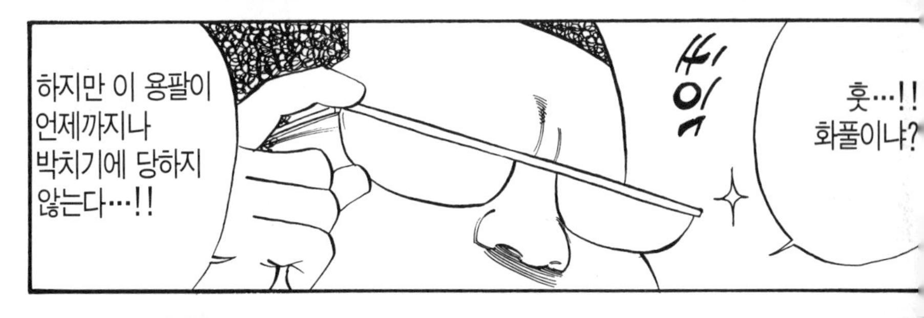

훗…!!
화풀이냐?
씨익
하지만 이 용팔이
언제까지나
박치기에 당하지
않는다…!!

……

끄득
호오,
그러서?!
이래도?!
이래도?!
이래도?!
이래도?!
아얏!
도닥 도닥
건방진 소릴을!
짜샤!
짜샤!
짜샤!
짜샤!!
아야야….
분하다!!
한 점도
못 넣은
주제에!

뭐라고?!
임마!!
시끄러!
이 무득점
인간아!!
아-아!
역시
난폭해…!
저 녀석,
시합 다음날은
언제나 저래.

젠장…!
이대로는
소연이를 대할
낯이 없어….
기대하고
있었을텐데….

웅성
웅성
웅성
......!!
척
척
척
아앗!!
PEPCI
척

……
척
척
척

우와… 크다!! 채치수를 가까이서 보니까 정말 크다!
인상도 험악하고 …!

아앗! 저기 재가 1학년 서태웅이야!
꺄아

북산고 애들은 모두 무시무시한 인상파만 모였네….
히익…!

앗!!

척
척

녀석
저 빨강머
저 녀석이 상대 선수 머리에 덩크를 먹였어!!
푸훗…!
뭐야, 저 머린? 저 녀석도 선수야?
상대의 머리에다 덩크를 먹였대!
무서운 녀석…
이것들이 …!!

자아, 모두들 힘내!
단숨에 끝내자!!
시작이다!!
뭐야? 저 빨강머리 스타팅 멤버가 아니잖아!
웅성
당연하지…. 머리에 덩크를 먹이는 놈이라 위험해!!
웅성
…그렇다고 해도 2회전치곤 관중이 많은걸…!!
그런데….
털썩
아니, 저건 해남 아냐?!
웅성
해남이다!!

웅성
해남의
신준섭
이다!
웅성
2 학년
신준섭!

그리고
넘버원
수퍼루키
전호장!
웅성

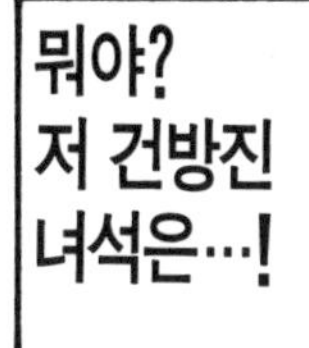
뭐야?
저 건방진
녀석은…!

꿈틀
넘버원
수퍼루키라고?

자~
시작해
보시지!!

웅성
웅성
웅성
해남도
북산을
보러온
건가?!
결승리그에
오르지 않으면
만나지도
못할텐데…!!

전호장……
……

덜컹
덜컹
……
힐끔……
힐끔……
우와…. 크다…!
……
덜컹
벌써 시작 했겠는걸…. 후반밖에 못 보겠어.
응?
덜컹
덜컹
!!
웅성 웅성 웅성
덜컹
덜컹

상양…!!
SHOYO

덜컹덜컹
덜컹 덜컹

市体育館

저…

전반
후반
1:21

정말 세다!!
노성
후반
북산
1:19
24
153
와아아아아아아아
북산이 너무 강해!!
정말 엄청난 놈들이야!!

라스트
1분!!
파이팅!!

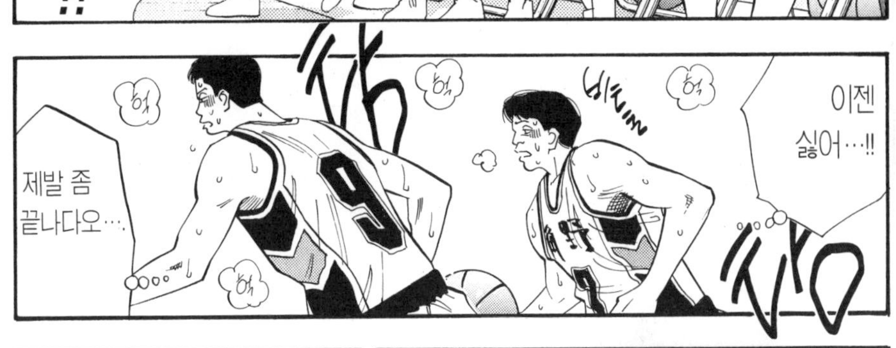
헉
이젠
싫어…!!
헉
헉
제발 좀
끝나다오…
헉

……

일부러
보러올
가치가
있었나…?
!!

성현준…!!

그래….
변덕규.
하지만
상대가
너무 약해.

우리라면
200점은
땄을 거야.

……
그럴지도
모르지….
삐이이익
끝났다
-!!
와
야호-!
2회전
돌파-!!
아아 아아

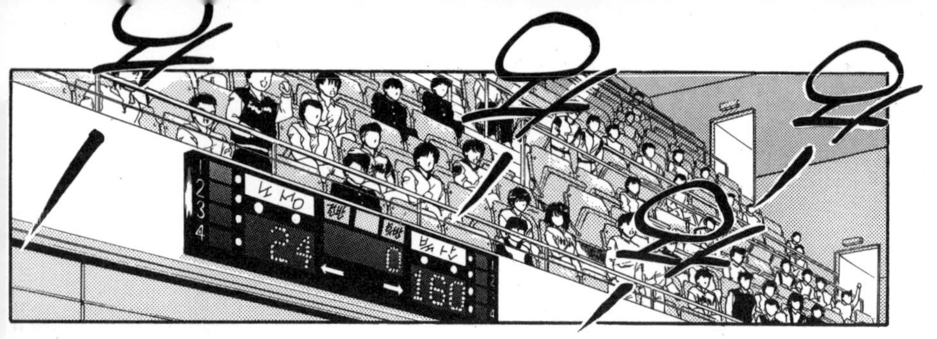
와
와
와
와
24
0
160

영수야!
강백호는 어떻게 됐지? 안 나온 거냐?
덕규 선배!
아뇨…. 나오긴 했지만….

아무것도 해보지 못하고 5반칙 퇴장 당했어요.

또?!

웃긴다, 웃겨-!!
하하 하
하

백호야, 경험이야 경험!!
경험을 쌓아가면서 차츰 알게 되는 거야!!
……
그래, 백호야!! 서두를 것 없어!

빌어먹을~! 조금 건드린 것 가지고 날 퇴장 시키다니…! 그 심판 녀석….
다음엔 절대 퇴장당하지 말아야지!
SHOHOKU

2회전을
160대 24로 대승한
북산고는 3회전에서도
103대 59라는
큰 점수 차로
낙승!!
날이 갈수록
주위의
주목을
모으게 된다.
빠
10번 강백호.
전반 15분
또다시
5반칙 퇴장.
푸싱!!
뭐어?!
날이 갈수록
백호의
기분은
언짢아지고
있었다.
상승세의 북산은
4회전에서
전통의 노량고와
대결.
초반 노량고의
연이은 3점슛에
리드를
빼앗겼으나,

7번 송태섭의 스틸에
이은 속공을 계기로
북산 특유의 스피디한
경기가 전개되자,
노량고는 그 스피드에
따라오지 못하고
실수를 연발한다.
단숨에
밀어붙이는
북산고!!

1……
2……
3……
4……

그리고 이때
10번 강백호
5반칙
퇴장—.

결국 시합은
다시 역전되는 일
없이 111대 79로
4회전 돌파!!
좋—아!!

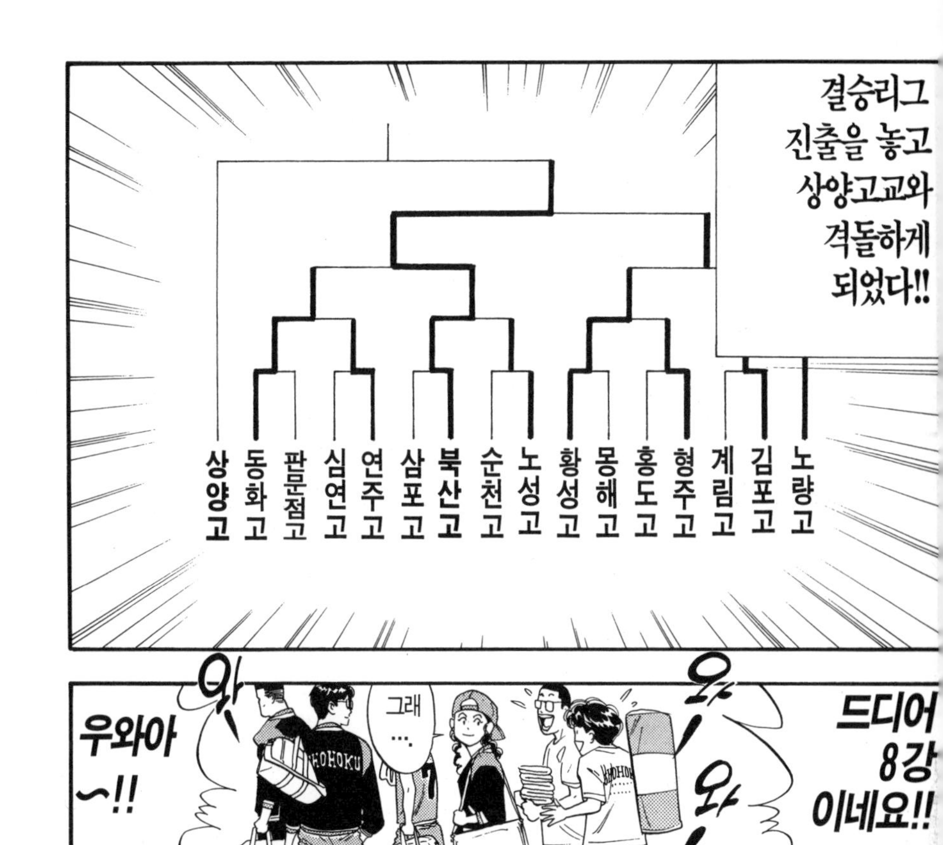

드디어 8강이네요!!

와

와

그래….

와

우와아~!!

4시합에서 파울 20개… 득점0…
퇴장 4번….

백호는 내가 끌여들었으니까….
내 눈은 틀림없거든…!!
소연아…

주욱
어쩌면…
난 천재가 아닌지도 몰라….

7 SLAM DUNK (完

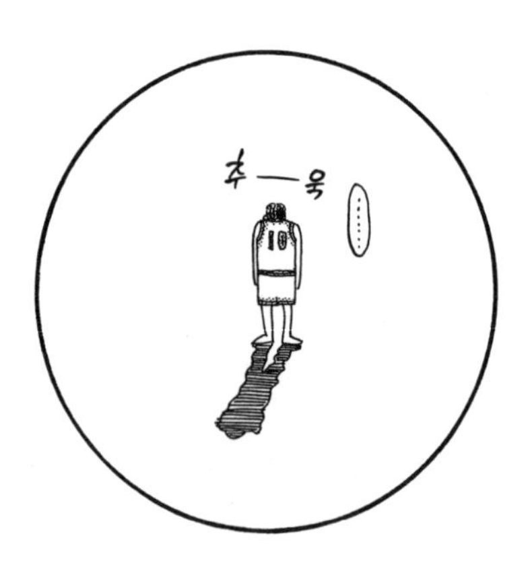
추—욱
……

SLAM
슬램덩크 완전판 프리미엄
DUNK

|SLAM DUNK|

슬램덩크 완전판 프리미엄 7

2007년 9월 23일 1판 1쇄 발행　2023년 2월 14일 2판 3쇄 발행

•

저자 ······ TAKEHIKO INOUE

•

발행인 : 황민호
콘텐츠1사업본부장 : 이봉석
책임편집 : 김정택/장숙희
발행처 : 대원씨아이(주)

•

서울특별시 용산구 한강대로 15길 9-12
전화 : 2071-2000 FAX : 797-1023
1992년 5월 11일 등록 제 1992-000026호

•

•

ISBN 979-11-6944-801-7 07830
ISBN 979-11-6944-793-5 (세트)

•